응답받는 기도를 위한 나만의 작은 헌신기도

주바라기 기도수첩

"기도는 하나님의 은혜와 능력이
가득 쌓여있는 창고 문을 여는 열쇠다."
- R.A. 토레이

CLS 크리스천리더

제대로 기도할 수 없을 것 같은 두려움

주님께서 우리에게 기도를 가르치실 때에
단지 예를 들어 설명하거나 교훈이나 명령
혹은 약속으로만 하지 않으시고
직접 자신을 우리의 생명으로,
영원히 사시는 중보자로 우리에게 보여 주셨다.
이것을 믿고 나아가 기도의 삶을 위해
주님 안에 거할 때,
제대로 기도할 수 없을 것 같은 두려움은 사라지고
기쁨으로, 승전가를 부르며 주님께서 우리에게
기도를 가르쳐 주실 것을 신뢰하게 되고
나아가 주님 자신이 우리 기도의 생명과 능력이
되실 것이다.

– 앤드류 머레이

'주바라기 **기도수첩**' 이렇게 활용하십시오.

1. 매일 정기적으로 시간을 정해서 구체적으로 기도하십시오.

2. 기도제목과 응답과정, 응답여부를 구체적인 단어로 기록하십시오.

3. 기도가 응답 되었을 때나 응답 되지 않았을 때에도 '**나의 감사기도문**'에 자신의 언어로 감사내용을 기록하십시오(중보를 위한 기도에서도 동일하게 활용하십시오).

4. 매일 말씀을 묵상하고 실천하고자 노력하십시오.

5. 매일 자신 외의 1명 이상을 위해 중보기도 하십시오.

6. 기록한 '주바라기 **기도수첩**'은 평생의 값진 신앙의 유산이 될 것입니다.

사용 예)

기도한 날짜를 쓴다.

년 월 일

기도제목

구체적인 제목을 적는다.

중보기도의 경우에도 구체적인

중보자의 이름과 내용을 상세히

기록한다.

응답과정

기도에 대한 과정을 기록한다.

(실천할 수 있는 일을 적는 것도

좋다)

응답여부 ☑

기도가 어떻게 응답되었는지

체크(v)하고 기록한다.

나의 감사기도문

기도제목에 대한 자신의 기도를

자신의 언어로 적거나 응답 받은

기도에 대한 감사의 내용을 적어

본다. (우리가 날마다 숨쉬는 것

만으로도 충분한 감사의 조건이

된다.)

가족을 위한 기도, 교회, 친구, 기타 모든 중보기도도 동일한 방법으로 기록하면 된다.

2013년 1월 3일

기도제목 (자신을 위한 기도의 예)

1. 웹디자인 전공을 살려 주님이 원하시는 직장을 구할 수 있도록 인도해주옵소서.

응답과정

매일마다 5분씩 기도 하기.

10일 : 이력서 보낸 곳 면접 시작 함

15일 : 2개 회사 떨어짐 ㅠ.ㅠ

20일 : 회사에 합격 연락 옴

25일 : 첫 출근

응답여부 ☑

기도를 시작한 지 2달만에 취직됨.

2013년 2월 25일 응답해 주심.

나의 감사 기도문

하나님, 감사합니다.

지난 6개월 동안 웹 디자인을 배우게 하심을 감사드립니다.

또한 디자인을 배운 뒤 불과 두 달 만에 취직을 허락해 주심을 감사드립니다.

이제 사회에 나갑니다. 그곳에서도 하나님의 말씀을 의지하며 열심히 일 할 수 있도록 인도해 주옵소서. 주님이 주신 직장에서 사람들과 관계를 잘 맺고 생활 할 수있도록 하옵소서.

예수님의 이름으로 기도합니다.

아멘.

주를 향하여 손을 펴고 내 영혼이 마른 땅같이
주를 사모하나이다(시 143:6).

년 월 일

기도제목

응답과정

응답여부 □

나의 감사 기도문

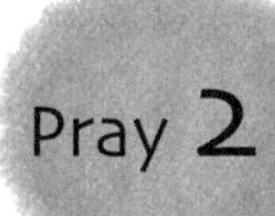

아버지의 약속하신 것을 기다리라(행1:4)

년 월 일

기도제목

응답과정

응답여부 ☐

나의 감사 기도문

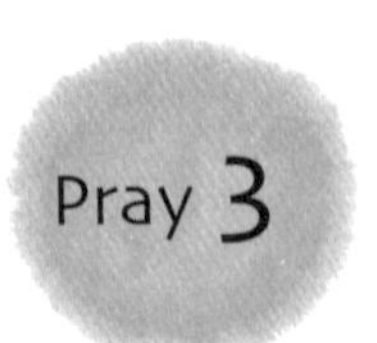

성령이 말할 수 없는 탄식으로 우리를 위하여
친히 간구하시느니라(롬8:25)

년 월 일

기도제목

응답과정

응답여부 ☐

나의 감사 기도문

모든 기도와 간구로 하되 무시로 성령 안에서 기도하고 이를 위하여
깨어 구하기를 항상 힘쓰며 여러 성도를 위하여 구하고(엡6:18)

년 월 일

기도제목

응답과정

응답여부 ☐

나의 감사 기도문

형제들아 내가 우리 주 예수 그리스도로 말미암고 성령의 사랑으로
말미암아 너희를 권하노니 너희 기도에 나와 힘을 같이하여
나를 위하여 하나님께 빌어(롬15:30)

년 월 일

기도제목

응답과정

응답여부 ☐

나의 감사 기도문

또한 이후에라도 건지시기를 그를 의지하여 바라노라
너희도 우리를 위하여 간구함으로 도우라(고후1:10)

년 월 일

기도제목

응답과정

응답여부 ☐

나의 감사 기도문

너희 염려를 다 주께 맡겨버리라
이는 저가 너희를 권고하심이니라(벧전5:7)

년 월 일

기도제목

응답과정

응답여부 ☐

나의 감사 기도문

Pray 8

구하라 그리하면 받으리니 너희 기쁨이 충만하리라(요16:24)

년 월 일

기도제목

응답과정

응답여부 ☐

나의 감사 기도문

여호와와 그 능력을 구할지어다
그 얼굴을 항상 구할지어다(역대상16:11)

년 월 일

기도제목

응답과정

응답여부 ☐

나의 감사 기도문

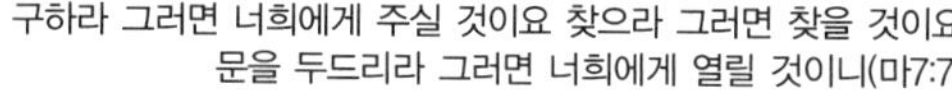
구하라 그러면 너희에게 주실 것이요 찾으라 그러면 찾을 것이요
문을 두드리라 그러면 너희에게 열릴 것이니(마7:7)

년 월 일

기도제목

응답과정

응답여부 ☐

나의 감사 기도문

시험에 들지 않게 깨어 있어 기도하라
마음에는 원이로되 육신이 약하도다(마26:41)

년 월 일

기도제목

응답과정

응답여부 ☐

나의 감사 기도문

Pray12

항상 기도하고 낙망치 말아야 될 것을 저희에게 비유로 하여(눅18:1)

년 월 일

기도제목

응답과정

응답여부 ☐

나의 감사 기도문

쉬지 말고 기도하라(살전5:17)

년 월 일

기도제목

응답과정

응답여부 ☐

나의 감사 기도문

너희 중에 고난당하는 자가 있느냐 저는 기도할 것이요
즐거워하는 자가 있느냐 저는 찬송할지니라(약5:13)

년 월 일

기도제목

응답과정

응답여부 ☐

나의 감사 기도문

너희가 전심으로 나를 찾고 찾으면 나를 만나리라(렘29:13)

년 월 일

기도제목

응답과정

응답여부 □

나의 감사 기도문

너는 기도할 때에 네 골방에 들어가 문을 닫고
은밀한 중에 계신 네 아버지께 기도하라 (마6:6)

년 월 일

기도제목

응답과정

응답여부 ☐

나의 감사 기도문

또 기도할 때에 이방인과 같이 중언부언하지 말라
저희는 말을 많이 하여야 들으실 줄 생각하느니라(마6:7)

년 월 일

기도제목

응답과정

응답여부 ☐

나의 감사 기도문

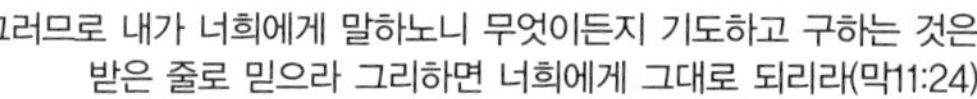

년 월 일

기도제목

응답과정

응답여부 ☐

나의 감사 기도문

그 마음의 소원을 주셨으며 그 입술의 구함을 거절치 아니하셨나이다(시21:2)

년 월 일

기도제목

응답과정

응답여부 ☐

나의 감사 기도문

의인이 외치매 여호와께서 들으시고
저희의 모든 환난에서 건지셨도다(시34:17)

년 월 일

기도제목

응답과정

응답여부 ☐

나의 감사 기도문

또 여호와를 기뻐하라 저가 네 마음의 소원을
이루어 주시리로다(시37:4)

년 월 일

기도제목

나의 감사 기도문

응답과정

응답여부 ☐

나는 하나님께 부르짖으리니
여호와께서 나를 구원하시리로다(시55:16)

년 월 일

기도제목

응답과정

응답여부 ☐

나의 감사 기도문

나의 환난 날에 내가 주께 부르짖으리니
주께서 내게 응답하시리이다(시86:7)

년 월 일

기도제목

응답과정

응답여부 ☐

나의 감사 기도문

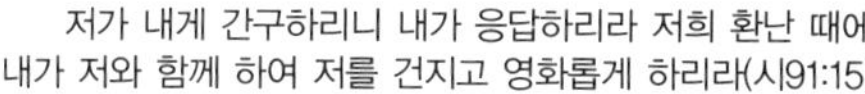
저가 내게 간구하리니 내가 응답하리라 저희 환난 때에
내가 저와 함께 하여 저를 건지고 영화롭게 하리라(시91:15)

년 월 일

기도제목

응답과정

응답여부 □

나의 감사 기도문

그들이 부르기 전에 내가 응답하겠고
그들이 말을 마치기 전에 내가 들을 것이며(사65:24)

년 월 일

기도제목

응답과정

응답여부 ☐

나의 감사 기도문

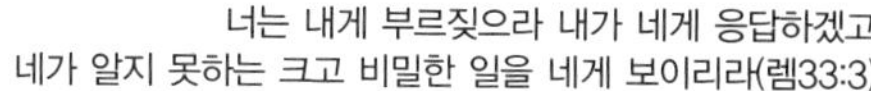

년 월 일

기도제목

응답과정

응답여부 ☐

나의 감사 기도문

구하는 이마다 받을 것이요 찾는 이가 찾을 것이요
두드리는 이에게 열릴 것이니라(눅11:10)

년 월 일

기도제목

응답과정

응답여부 ☐

나의 감사 기도문

주님의 마음을 소유한 자

경건한 사람은 우리 주 예수 그리스도를
닮기 위해 애쓴다.
그리스도 안에서 믿음의 삶을 살며
주님께로부터 매일의 평안과 힘을
공급 받을 뿐만 아니라 주님의 마음을
소유하기위해 힘쓴다.
주님께서는 왕보다는 가난할지라도
경건한 자들을 더 많이 생각하신다.

- J. C. 라일

그를 향하여 우리의 가진 바 담대한 것이 이것이니
그의 뜻대로 무엇을 구하면 들으심이라(요일5:14)

년 월 일

기도제목

응답과정

응답여부 ☐

나의 감사 기도문

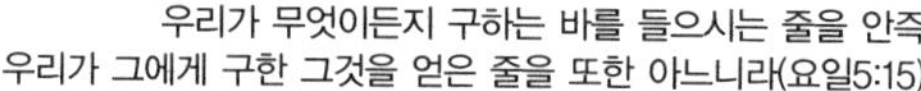

년 월 일

기도제목

응답과정

응답여부 ☐

나의 감사 기도문

너희가 내 안에 거하고 내 말이 너희 안에 거하면
무엇이든지 원하는 대로 구하라 그리하면 이루리라(요15:7)

년 월 일

기도제목

응답과정

응답여부 ☐

나의 감사 기도문

아무것도 염려하지 말고 오직 모든 일에 기도와 간구로
너희 구할 것을 감사함으로 하나님께 아뢰라(빌4:6)

년 월 일

기도제목

응답과정

응답여부 ☐

나의 감사 기도문

우리가 긍휼하심을 받고 때를 따라 돕는 은혜를 얻기 위하여
은혜의 보좌 앞에 담대히 나아갈 것이니라(히4:16)

년 월 일

기도제목

응답과정

응답여부 ☐

나의 감사 기도문

반드시 그가 계신 것과 또한 그가 자기를 찾는 자들에게
상 주시는 이심을 믿어야 할지니라(히11:6)

년 월 일

기도제목

응답과정

응답여부 ☐

나의 감사 기도문

여호와께서는 자기에게 간구하는 모든 자 곧 진실하게 간구하는 모든 자에게 가까이하시는도다(시145:18)

년 월 일

기도제목

응답과정

응답여부 □

나의 감사 기도문

여호와와 그 능력을 구할지니라 그 얼굴을 항상 구할지어다(대상16:11)

년 월 일

기도제목

나의 감사 기도문

응답과정

응답여부 □

그러므로 내가 첫째로 권하노니 모든 사람을 위하여
간구와 기도와 도고와 감사를 하되 (딤전2:1)

년 월 일

기도제목

응답과정

응답여부 □

나의 감사 기도문

시시로 저를 의지하고 그 앞에 마음을 토하라
하나님은 우리의 피난처시로다(시62:8)

년 월 일

기도제목

응답과정

응답여부 ☐

나의 감사 기도문

저가 사모하는 영혼을 만족케 하시며 주린 영혼에게
좋은 것으로 채워 주심이로다(시107:9)

년 월 일

기도제목

응답과정

응답여부 ☐

나의 감사 기도문

반드시 그가 게신 것과 또한 그가 자기를 찾는 자들에게
상 주시는 이심을 믿어야 할지니라(히11:6)

년 월 일

기도제목

응답과정

응답여부 ☐

나의 감사 기도문

하나님이여 내 기도를 들으시며
내 입의 말에 귀를 기울이소서(시54:2)

년 월 일

기도제목

응답과정

응답여부 ☐

나의 감사 기도문

거짓되지 않은 입술에서 나오는 내 기도에 귀를 기울이소서(시17:1)

년 월 일

기도제목

응답과정

응답여부 ☐

나의 감사 기도문

그가 나를 푸른 초장에 누이시며
쉴 만한 물가으로 인도하시는도다(시23:2)

년 월 일

기도제목

응답과정

응답여부 ☐

나의 감사 기도문

이 하나님은 영영히 우리 하나님이시니
우리를 죽을 때까지 인도하시리로다(시48:14)

년 월 일

기도제목

나의 감사 기도문

응답과정

응답여부 ☐

주를 향하여 이 소망을 가진 자마다 그의 깨끗하심과 같이
자기를 깨끗하게 하느니라(요일3:3)

년 월 일

기도제목

응답과정

응답여부 ☐

나의 감사 기도문

내게 능력 주시는 자 안에서
내가 모든 것을 할 수 있느니라(빌4:13)

년 월 일

기도제목

응답과정

응답여부 ☐

나의 감사 기도문

너희는 여호와를 영원히 의뢰하라
주 여호와는 영원한 반석이심이로다(사26:4)

년 월 일

기도제목

응답과정

응답여부 ☐

나의 감사 기도문

그는 깊고 은밀한 일을 나타내시고 어두운 데 있는 것을 아시며
또 빛이 그와 함께 있도다(단2:22)

년 월 일

기도제목

나의 감사 기도문

응답과정

응답여부 ☐

오직 여호와를 앙망하는 자는 새 힘을 얻으리니 독수리의 날개치며
올라감 같은 것이요 달음박질하여도 곤비치 아니하겠고
걸어 가도 피곤치 아니하리로다(사40:31)

년 월 일

기도제목

나의 감사 기도문

응답과정

응답여부 □

그런즉 너희는 하나님께 순복할지어다
마귀를 대적하라 그리하면 너희를 피하리라(약4:7)

년 월 일

기도제목

응답과정

응답여부 ☐

나의 감사 기도문

하나님은 우리의 피난처시요 힘이신
환난 중에 만날 큰 도움이시라(시46:1)

년 월 일

기도제목

응답과정

응답여부 □

나의 감사 기도문

저는 넘어지나 아주 엎드러지지 아니함은
여호와께서 손으로 붙드심이로다(시37:24)

년 월 일

기도제목

응답과정

응답여부 ☐

나의 감사 기도문

그러므로 우리가 담대히 가로되 주는 나를 돕는 자시니
내가 무서워 아니하겠노라 사람이 내게 어찌하리요 하노라(히13:6)

년 월 일

기도제목

응답과정

응답여부 ☐

나의 감사 기도문

너의 길을 여호와께 맡기라 저를 의지하면 저가 이루시고(시37:5)

년 월 일

기도제목

응답과정

응답여부 ☐

나의 감사 기도문

너는 범사에 그를 인정하라 그리하면 네 길을 지도하시리라(잠3:6)

년 월 일

기도제목

응답과정

응답여부 ☐

나의 감사 기도문

너는 여호와를 바랄지어다 강하고 담대하며
여호와를 바랄지어다(시27:14)

년 월 일

기도제목

응답과정

응답여부 ☐

나의 감사 기도문

나의 마음이 머무를 곳

주위에 아무런 도움의 손길이 없을 때,
하나님 안에서 당신의 돕는자들을 보라.
당신을 돕는 자들이 많을 때,
모든 돕는자들에게서 하나님을 보라.
당신에게 하나님 외에 아무것도 없을 때,
하나님 안에서 모든 것을 보라.
당신이 모든 것을 가졌을 때,
그 모든것 가운데 하나님을 보라.
모든 상황속에서
오직 주님께만
당신의 마음을 머무르게 하라.

– 찰스 스펄전

크리스천리더 은혜의 기도문 시리즈

52주 교회력에 맞춘 대표 기도문

12,500원 | 448p | (포켓용 8,500원) 한치호 목사

평신도를 위한 52주 은혜와 감동의 대표 기도문

주제별 52주 대표 기도문

13,000원 | 462p | 한치호 목사

주제에 따른 52주 대표 기도

응답받는 예배 대표 기도문

9,800원 | 366p | 한치호 목사

교회 절기와 교회 행사, 국가 기념일을 위한 대표 기도문

위로/권면/친교의 심방기도문

10,000원 | 355p | 한치호 목사

하나님의 사랑과 위로를 전하는 심방자의 간절한 간구의 기도

내자녀 하나님의 자녀로 키우는 기도

10,000원 | 288p | 김경화 전도사

균형잡힌 자녀로 성장시키기 위한 부모의 간절한 기도

52주 어린이 주일학교 예배 대표 기도문

9,500원 | 304p | 한치호 목사

어린 영혼을 살리는 은혜와 감동의 어린이 대표기도문

예수님! 우리 기도를 받아주세요

7,800원 | 240p | 김영수 목사

은혜와 감동의 어린이 대표 기도문

"주바라기 **기도수첩**" 다쓴 날

제 ___ 권

___ 년 ___ 월 ___ 일

기도의 끈을 놓지 말고 하나님께
간구하는 자가 되기를 바랍니다.

"그를 향하여 우리의 가진 바 담대한 것이 이것이니
그의 뜻대로 무엇을 구하면 들으심이라"(요일 5:14)

응답받는 기도를 위한 나만의 작은 헌신기도
주바라기 **기도수첩**

초 판 6쇄 인쇄일 2016. 07. 20.

엮은이 크리스천리더출판기획팀
주 소 부천시 원미구 중동 1289번지 팰리스카운티 아이파크상가 5층
연락처 ☎ (032)342-1979 fax. 032)343-3567
총 판 생명의 말씀사 (02)3159-8211
등 록 제2- 2727호(1999. 9. 30.)

정가 1,000원

※잘못된 책은 구입하신 곳에서 바꾸어 드립니다.

ISBN 89-90121-82-0 03230

출판사 : www.cjesus.co.kr
독자의견: chmbit@hanmail.net